Décroche-moi la lune

**Données de catalogage avant
publication (Canada)**
Hébert, Marie-Francine
Décroche-moi la lune
Pour enfants.

ISBN 2-89512-190-7 (br.)
ISBN 2-89512-192-3 (rel.)

I. Pratt, Mylène. II. Titre.

PS8565.E2D42 2001 jC843'.54 C2001-940082-9
PS9565.E2D42 2001
PZ23.H42De 2001

À ma famille

M. P.

Éditrice: Dominique Payette
Directrice de collection:
Lucie Papineau
Direction artistique et graphisme:
Primeau & Barey

Dépôt légal: 3e trimestre 2001
Bibliothèque nationale du Québec
Bibliothèque nationale du Canada

Dominique et compagnie
300, rue Arran
Saint-Lambert (Québec)
Canada J4R 1K5
Téléphone: (514) 875-0327
Télécopieur: (450) 672-5448
Courriel: info@editionsheritage.com

Imprimé en Chine
10 9 8 7 6 5 4 3

Nous remercions le Conseil des Arts du Canada
de l'aide accordée à notre programme de publication, ainsi que la SODEC et le ministère du
Patrimoine canadien.

Gouvernement du Québec – Programme
de crédit d'impôt pour l'édition de livres –
Gestion SODEC.

Texte : Marie-Francine Hébert

Illustrations : Mylène Pratt

Décroche-moi la lune

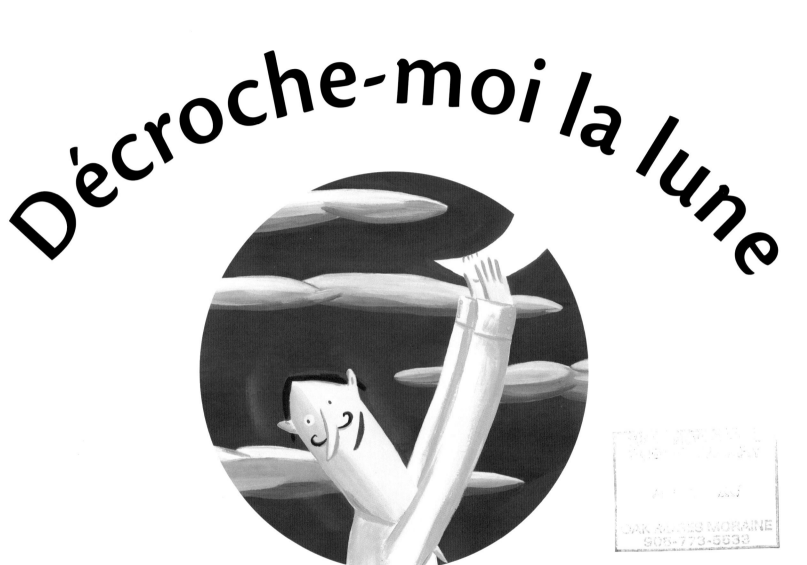

Dominique et compagnie

Le petit garçon s'appelait Calvino et son papa, Italo. Or, non seulement ils se ressemblaient comme deux gouttes d'eau, mais ils étaient le héros l'un de l'autre. La maman, elle, était leur rayon de soleil, mais ça, c'est une autre histoire.

Il n'y avait qu'un problème : fiston et son père étaient aussi peu raisonnables l'un que l'autre. Le premier voulait tout avoir. Le second ne pouvait rien lui refuser.

Dès que le petit Calvino réclamait
un jouet, son papa le lui offrait.
Mais le garçon s'en désintéressait
rapidement, attiré par un nouveau
jouet, qu'il obtenait aussitôt.
– Tu le gâtes trop, disait la maman.
– Je l'aime tant, répondait le papa.

Bientôt le garçon ne sut plus ce qu'il voulait. On aurait dit qu'un train de désirs filait à une vitesse folle derrière la fenêtre de ses yeux : tu m'achètes... tumchètes... tmchts... tch... tch... tch...

Le père, lui, à force de se creuser
la tête pour faire plaisir à son fils, se la
vida complètement. On aurait dit
une vache qui rumine dans un champ
en regardant passer le train.

Maman allait de l'un à l'autre
dans l'espoir de les ramener
à la raison.
– Tu ne peux pas tout lui
donner, disait-elle à son mari.
– Pourquoi pas ? répondait
celui-ci.

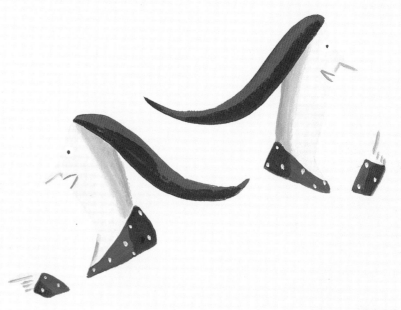

– Tu ne peux pas tout avoir,
disait-elle à son fils.
– Pourquoi pas ? répondait
celui-là.

Elle fut vite à court d'arguments :
– Parce que personne ne
peut décrocher la lune, voilà
pourquoi !

Des étoiles s'allumèrent
à l'instant dans les yeux du
garçon. Dès lors, il n'eut
plus qu'un désir : que son papa
aille lui décrocher la lune.

La lune brillait justement par
son absence ce soir-là. Maman
en profita pour expliquer à son
fils que demander à quelqu'un
de vous « décrocher la lune »
signifiait lui demander
l'impossible.

Rien n'y fit. Le petit Calvino
passait maintenant de longues
heures accoudé à la fenêtre
de sa chambre à attendre
le retour de la lune.

Finalement, elle apparut un
soir au-dessus du grand chêne
derrière la maison. « J'ai trouvé
la solution, se dit le garçon.
Il suffit que papa grimpe au
sommet de l'arbre. Là, il n'aura
plus qu'à allonger le bras pour
l'attraper, la lune. »

Le père ne voyait pas cela
du même œil :

– D'ici, elle a l'air tout près
de la cime de l'arbre. Mais
c'est une impression. En réalité,
la lune est beaucoup plus
éloignée qu'il n'y paraît.

Le regard du petit Calvino vacilla,
comme si toutes les étoiles menaçaient
de s'y éteindre en même temps. Alors,
papa sortit son échelle et, fiston à
califourchon sur son dos, il monta
dans l'arbre en question.

Le garçon dut bien se rendre à
l'évidence : la lune était inaccessible.

Le lendemain soir, il se rendit au grenier. À travers la lucarne, il repéra la plus haute montagne des environs. C'était au sommet de cette montagne que son papa devait monter. De là, il n'aurait plus qu'à tendre la main pour la cueillir, la lune.

Le père n'était pas du même avis :
– D'ici, le sommet de la montagne semble frôler la lune, mais la réalité est tout autre.

Calvino resta figé sur place, comme
si le ciel s'apprêtait à lui tomber sur
la tête. Alors son père le conduisit à la
montagne. Et, fiston à califourchon
sur son dos, il l'escalada.

La lune était toujours hors d'atteinte.
Une fois de plus, le garçon avait été
victime d'une illusion.

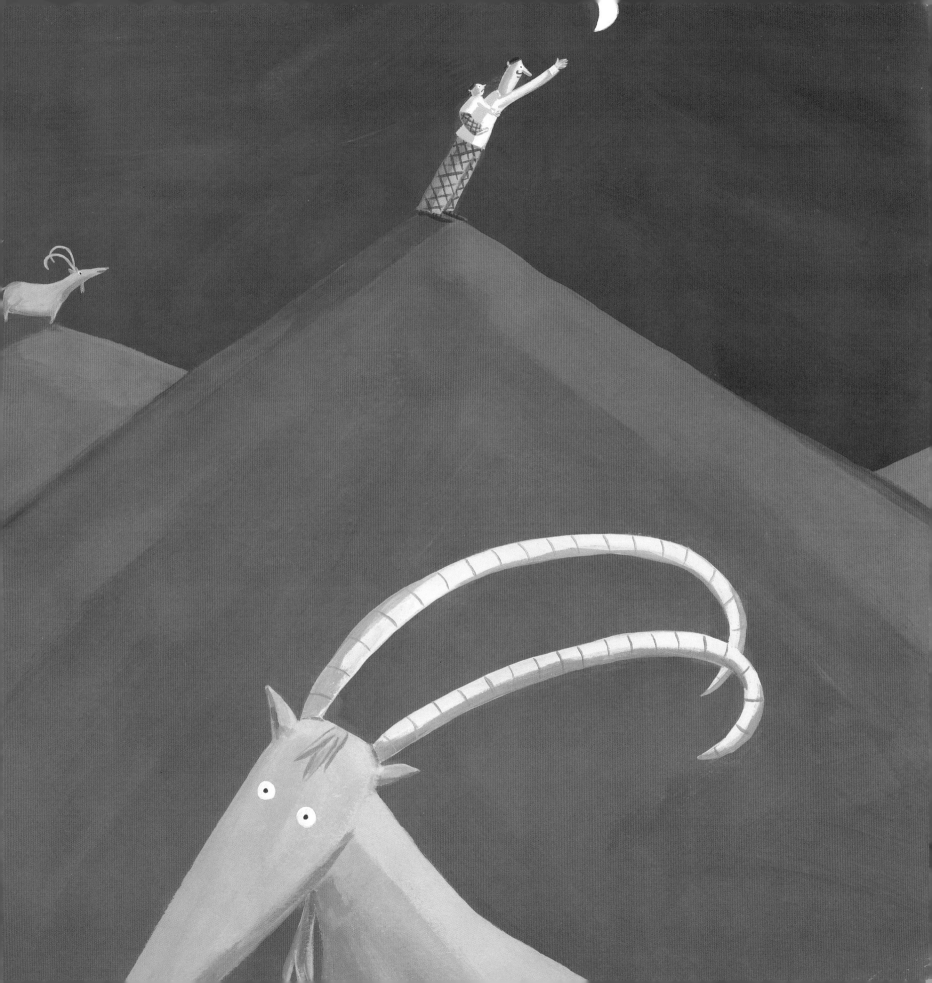

Sans que papa ne puisse rien
faire pour l'en empêcher, un gros
nuage envahit le cœur du petit
Calvino. Rien ne l'intéressait plus.
Même pas le beau livre que
maman lui avait offert, et dans
lequel on voyait des astronautes
marcher sur la lune.

Un soir que le garçon n'arrivait
pas à trouver le sommeil, papa
frappa à la porte de sa chambre.
Il avait l'air aussi excité que
s'il venait de décrocher la lune.
– Viens, j'ai une belle surprise
pour toi!

Fiston revêtit son gilet de
sauvetage et enfila ses bottes de
caoutchouc, comme papa. Puis
ils descendirent en toute hâte
le raidillon menant à la plage.
– Voilà! fit le père en désignant
fièrement le milieu du lac.

Le petit garçon aperçut la lune toute ronde
à la surface de l'eau. Il sut alors que son
papa l'aimait plus que tout au monde.
– Oh ! fit-il en se jetant dans les bras de celui
qu'il aimait, lui aussi, plus que tout au monde.

Voilà pourquoi Calvino ne dirait pas à son
père qu'il était, à son tour, victime d'une illusion.
Que la lune qu'il voyait dans le lac n'était pas
la vraie lune, simplement son reflet.

Tous deux prirent place dans la
chaloupe, fiston blotti contre la poitrine
de son père. Et les petites mains de
l'un sur les grandes mains de l'autre, ils se
mirent à ramer vers le milieu du lac.

Sans dire un mot.

Il y a des moments, dans la vie
d'un petit garçon, où rien ne vaut
le clapotis de l'eau contre les flancs
de la chaloupe de son papa.